D0527090

CARROUSEL

MINI-ROMAN

Du même auteur

COLLECTION CARROUSEL

22
Choupette et son petit papa

29
Choupette et maman Lili

35
Choupette et tante Loulou

42
Choupette et oncle Robert

Collection conçue et
dirigée par

YVON BROCHU

GILLES TIBO

CHOUPETTE ET ONCLE ROBERT

Illustrations
STÉPHANE POULIN

Données de catalogage avant publication (Canada)

Tibo, Gilles, 1951-
Choupette et oncle Robert
(Carrousel: 42)
Pour enfants à partir de 6 ans.

ISBN 2-89512-121-4

I. Poulin, Stéphane. II. Titre. III. Collection.

PS8589.I26C456 2000 jC843'.54 C99-941263-9
PS9589.I26C456 2000
PZ23.T52Cho 2000

Dépôts légaux: 1er trimestre 2000
Bibliothèque nationale du Québec
Bibliothèque nationale du Canada
Bibliothèque nationale de France

ISBN: 2-89512-121-4 Imprimé au Canada

Direction de la collection: Yvon Brochu, R-D création enr.
Éditrice: Dominique Payette
Conception graphique de la collection: Pol Turgeon
Graphisme: Primeau & Barey
Conseillère: Thérèse Leblanc, enseignante
Correction-révision: Martine Latulippe

10 9 8 7 6 5 4 3 2

Dominique et compagnie
300, rue Arran, Saint-Lambert (Québec) J4R 1K5
Téléphone: (514) 875-0327
Télécopieur: (450) 672-5448
Courriel: info@editionsheritage.com

Nous remercions le Conseil des Arts du Canada de l'aide accordée à notre programme de publication, ainsi que la SODEC et le ministère du Patrimoine canadien.

À Alexis, le vrai cousin
de la vraie Choupette

Je m'appelle Choupette et oncle Robert s'appelle oncle Robert.

Oncle Robert est un collectionneur. Il ramasse des choses depuis son enfance. À un an, il possédait une collection de tétines. À deux ans, sa collection de biberons faisait des jaloux. À cinq ans et demi, il collectionnait les gommes à mâcher, les pantalons troués, les bretelles, les tricycles.

Maintenant, oncle Robert est un adulte. Il possède des collections de savons, de chiffons, de blousons, de goudron, de contraventions et même de bulles de savon. S'il le pouvait, il collectionnerait les nuages, les arcs-en-ciel, les galaxies...

Moi, Choupette, je ne collectionne rien, mais j'adore rendre visite à oncle Robert. Sa maison déborde d'objets de toutes sortes. Le réfrigérateur contient d'importantes collections de glaçons, de boules de neige et de décorations de Noël. Le four est rempli de petits cactus, de

roches volcaniques, de pommes de terre au four. Le lit croule sous les oreillers, les courtepointes, les toutous de toutes les grosseurs et de toutes les couleurs. Sa chambre est tellement pleine que mon oncle doit dormir dans son automobile. Même la niche du chien Bouboule est remplie à craquer. Elle contient une imposante collection d'os en plastique, en caoutchouc et en babiche.

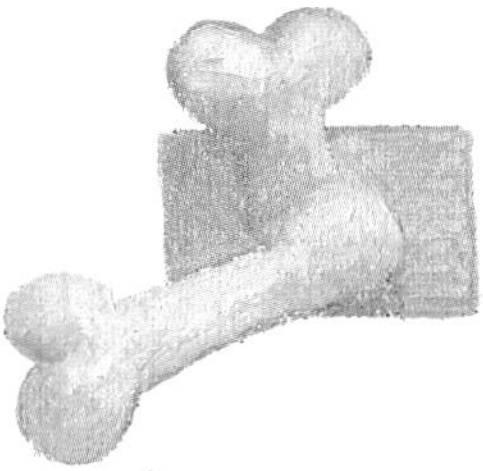

Je saute sur mon beau vélo pour faire une visite-surprise à oncle Robert. Je tourne à gauche, à droite, et j'arrive devant son incroyable maison. On dirait que le toit va craquer sous le poids de ses collections d'antennes et de cheminées qui jaillissent de partout. Oncle Robert fait les cent pas sur le trottoir. Il semble préoccupé. J'attache mon vélo à l'un des poteaux de sa fameuse collection de clôtures.

– Bonjour, oncle Robert! Comment allez-vous?

La tête baissée, il me répond:

– Ça va mal, Choupette. Très mal. J'ai perdu mon trousseau de clés!

–Ce n'est pas grave, oncle Robert, il vous en reste cinq cent cinquante dans votre collection.

–Non, Choupette... Ce n'est pas une blague. J'ai perdu mon trousseau à moi. Je ne peux ni verrouiller les portes de la maison ni prendre mon automobile!

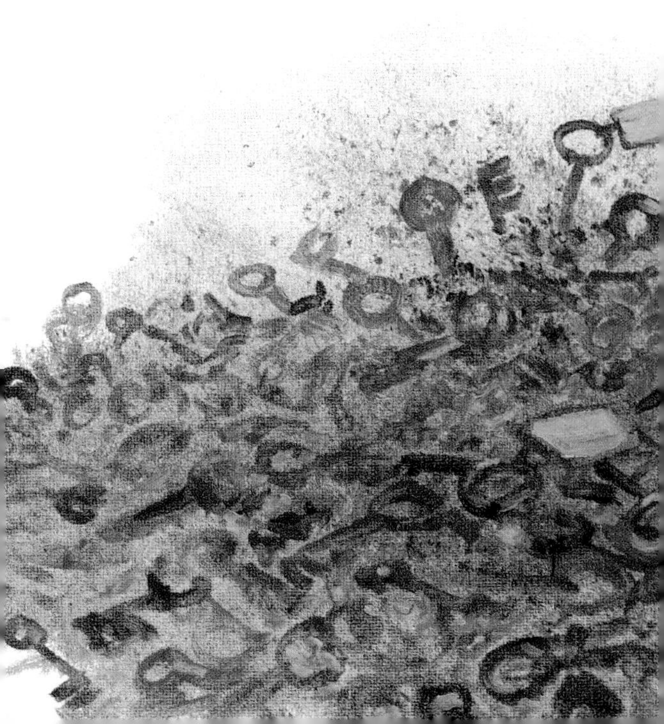

–Je vais vous aider. Je suis une championne pour retrouver les objets perdus!

Je m'assois sur les marches du balcon. Je réfléchis. Premièrement, il faut se calmer. Deuxièmement, il faut procéder avec logique. Je demande à mon oncle:

–Premièrement, êtes-vous calme? Très calme?

–Je... Euh... oui...

–Deuxièmement, de quelle couleur était votre trousseau de clés?

– En cuir brun...

– Avez-vous regardé dans vos poches?

– Oui...

– Dans votre automobile?

– Oui...

– Dans votre maison?

– C'est ça, le problème, soupire oncle Robert.

– Ne vous inquiétez pas, je vais retrouver votre trousseau... immédiatement!

Je prends mon élan. J'ouvre la porte d'entrée. Crac patatrac! Des balais, des chaises et des

parapluies dégringolent. Je me retrouve devant un mur de chaises, de tables, de divans, de vieux tapis emmêlés les uns aux autres.

J'essaie ensuite d'entrer par l'arrière. Impossible! La porte de la cuisine est bloquée par une collection de cuisinières, de réfrigérateurs, de tables, d'armoires... Je tente de me

faufiler au sous-sol. Impossible! Une collection de vieux tuyaux bouche le soupirail. Je monte sur une échelle. J'essaie de m'infiltrer par la fenêtre du grenier. Impossible! Une collection de matelas en bloque l'ouverture. Je redescends et je dis à oncle Robert:

–Il n'y a qu'une seule façon de retrouver votre trousseau.

–Ah oui? Laquelle?

–Il faut faire du ménage, du ménage, et encore du ménage!

–Choupette, es-tu vraiment sérieuse?

–Oui... Heureusement pour vous, je suis en vacances, et je suis une spécialiste du ménage.

Jour après jour, nous vidons la maison. Le terrain d'en avant déborde de casiers à homards, de minivélos, de chevaux de bois et de petites statues. Et chaque soir, oncle Robert sort sa collection de grands mannequins déguisés en agents de police. Il les place sur son terrain pour éloigner les voleurs.

Après sept jours de travail intensif, la maison est vide, vide, vide. Mais, le trousseau de clés reste introuvable. Oncle Robert est découragé.

Moi, je répète en serrant les dents:

– Je vais le trouver! Je vais le trouver!

Après trois autres jours de travail acharné, le hangar, le garage, la piscine et la niche de Bouboule sont vides,

vides, vides. Oncle Robert a retrouvé sa collection de crottes de souris. Elle flottait dans la piscine. Sa collection de perruques blondes était cachée sous le balcon. Sa collection de gommes à mâcher séchait sous le toit du hangar. Mais la cour est maintenant ensevelie sous les

objets qui s'empilent jusque dans le parc derrière la maison. Et toujours pas de trousseau de clés!

–Choupette, que va-t-on faire, maintenant?

–Il va falloir tout ranger et tout classer à l'intérieur de la maison, du hangar, du garage...

Oncle Robert est encore plus découragé.

Soudain, le voisin de gauche dépose sa collection de bouteilles dans la cour de mon oncle. Puis, c'est la voisine de droite qui se débarrasse de ses vieilles choses: des radios, des manteaux, des motos, des râteaux, des vélos, des bibelots, des grelots, des ciseaux. Oncle Robert ne sait pas dire «Non merci!» Il a plutôt l'air content! Moi, je ne le comprends plus...

Un autre voisin se présente avec un magnétophone. Ouf! il ne veut pas nous le donner! Il est journaliste et, en plus, il est

en colère. Il demande à oncle Robert:

–Vous n'avez pas honte de polluer l'environnement avec toutes ces vieilles choses?

Oncle Robert est tellement surpris qu'il ne sait pas quoi répondre. Moi, je m'empare du micro:

–Monsieur le journaliste, ce ne sont pas des vieilles choses! Ce sont les plus grandes, les plus belles, les plus extraordinaires collections du monde!

Ensuite, toujours en parlant dans le micro, je présente les collections au journaliste. À la fin, il s'exclame:

– Mais c'est formidable !

– Oh oui !... fait oncle Robert.

C'est peut-être formidable, mais moi, Choupette, je n'ai toujours pas trouvé le trousseau de clés.

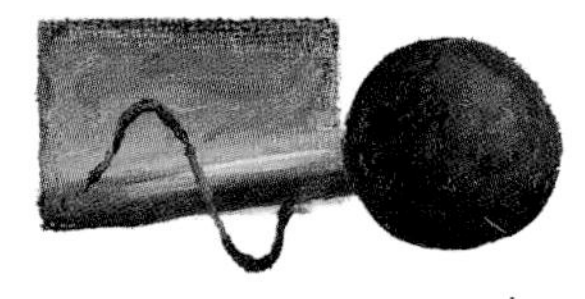

Deux autres journalistes arrivent avec leurs appareils

photo. Ils ne veulent pas nous les donner: ils nous photographient. Oncle Robert et moi-même, Choupette, nous nous retrouvons, le lendemain, sur la première page d'un grand journal!

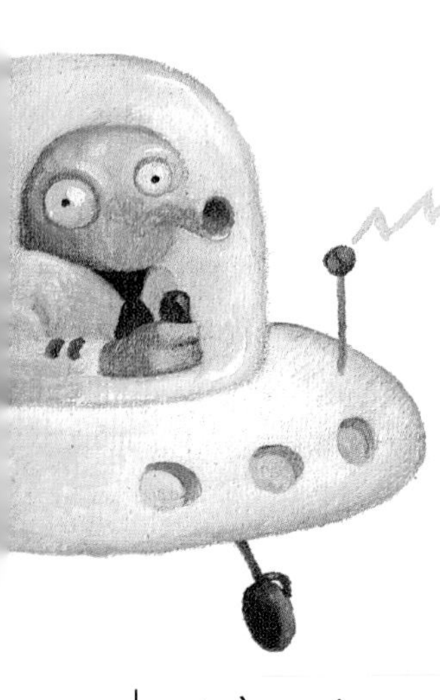

À la suite du reportage, des centaines de curieux viennent admirer les collections. Plusieurs ont apporté des choses pour les compléter: nous recevons de très vieux bas de laine, des chaises à trois pattes, des baignoires, des pneus... Oncle Robert est heureux.

Moi, je me coiffe d'une des 678 casquettes de policier et, à l'aide d'un porte-voix, je crie aux visiteurs:

– Attention! Attention! Les

collections de paratonnerres, c'est par ici! Les collections de lampes de poche, par là-bas! Les collections de bretelles, au fond, à gauche!

Attirés par l'événement, des journalistes de la télévision font un reportage sur oncle Robert, qu'ils surnomment le «Collectionneur fou». Le fameux reportage est traduit en plusieurs langues. Il est diffusé dans une vingtaine de pays. La réputation d'oncle Robert fait le tour de la terre.

D'autres journalistes arrivent. Mon oncle est tellement occupé que c'est moi qui réponds aux questions:

– Oui, mon oncle est le plus grand collectionneur du monde! Oui, tout cela est arrivé à cause d'un trousseau de clés perdu...

Après tous ces reportages, de gros camions commencent à décharger des colis dans la cour. Oncle Robert les ouvre: il y trouve des milliers et des milliers de trousseaux de clés. Puis, il reçoit des boîtes pleines de kimonos japonais, de tambours africains; des bouteilles remplies de sable fin du Sahara, de neige du pôle Nord, de poils de kangourou...

Pendant ce temps, moi, Choupette, je m'occupe des touristes. Ils viennent du monde entier. Ils arrivent de l'aéroport ou de la gare, à bord de grands autobus. Ils descendent, prennent une photo et repartent en laissant un petit quelque chose en souvenir.

La maison est ensevelie sous les objets. Oncle Robert grimpe sur un tas de planches à repasser. Découragé, il fixe longuement la cour et me demande:

–Choupette, où allons-nous ranger tout ça?

– Euh... je ne sais vraiment pas.

–Choupette, y a-t-il un peu de place chez toi?

–Euh... il y a un peu de place sous mon lit, mais...

Soudain, le chien Bouboule jappe. WOUF! WOUF! Il creuse dans l'herbe avec ses pattes de devant. À grands coups de griffe, Bouboule sort un os, puis un autre, puis encore un autre. Lui aussi est un collectionneur. Soudain, il sort de terre quelque chose qui fait **cling, clang, clong**... Oncle Robert s'écrie:

–Mon trousseau! C'est mon trousseau de clés! Ahhh!!!

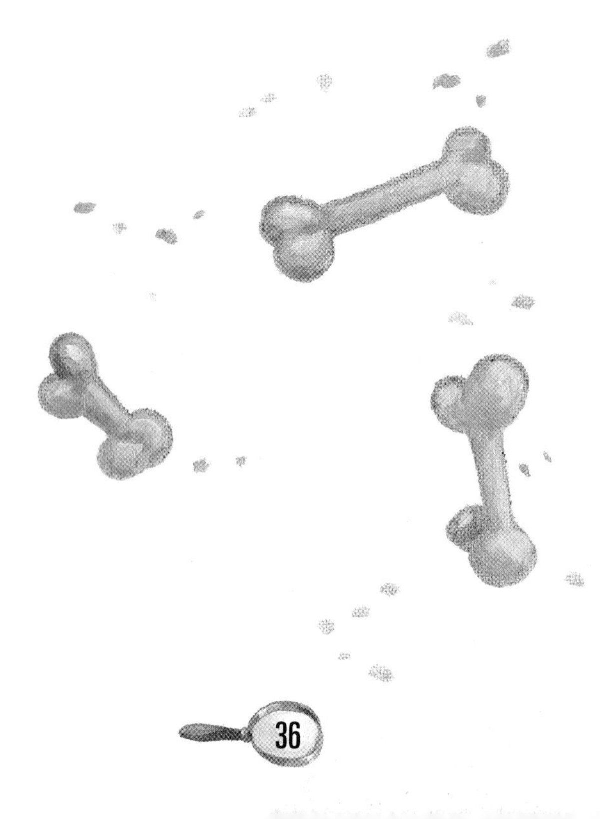

Oncle Robert est tellement excité qu'il perd l'équilibre, dégringole jusqu'au bas du tas de planches... et se casse une jambe.

Au retour de l'hôpital, nous cherchons la maison de mon oncle. Elle a complètement disparu sous une incroyable montagne d'objets. Un autre autobus de visiteurs vient d'arriver.

De grosses larmes s'échappent des yeux de mon oncle. En pleurnichant, il dit:

–Tout cela est ridicule... J'ai peut-être un peu exagéré... Je suis complètement dépassé par toutes ces collections... Choupette, j'aimerais...

j'aimerais ne plus rien avoir...

Et là, oncle Robert me fait peur. Il lance des objets dans les airs. Il crie, il hurle à tous les visiteurs:

– Moi, j'en ai assez! Je n'en peux plus! Foutez-moi la paix avec toutes vos vieilles vieilleries qui traînent partout!

Les visiteurs sont effrayés.

Moi, je réfléchis vite. Je lui dis:

– Oncle Robert, calmez-vous. Je viens d'avoir une bonne idée!

Suivant mon idée, oncle Robert va dire un merci chaleureux aux curieux en leur offrant des cadeaux-surprises. Heureux, les bras chargés d'épingles à linge, de tasses, de tiroirs, de dés à coudre, de cuisinières, d'ancres, les visiteurs repartent à pied, en vélo, à cheval, en automobile, en autobus, en train, en avion.

Pendant qu'ils s'éloignent avec leurs nombreux cadeaux, moi, je cours à la quincaillerie.

Je fais faire un double de toutes les clés d'oncle Robert.

– C'est pour la collection de ton cher oncle, le Collectionneur fou? demande la quincaillière.

– Non, madame! C'est pour moi...

En revenant de la quincaillerie, il me vient une autre

idée géniale. Il arrive souvent que mes parents égarent leurs clés. J'en ferai faire des copies avant qu'ils ne les perdent... Puis, je ferai la même chose avec les clés de mes tantes, de mes oncles, de mon grand-père, de ma grand-mère... À bien y

penser, je ferai faire des copies des clés de tous les gens du quartier... et de la ville... et du pays... et... pourquoi pas... de la terre entière!

Grâce à moi, il n'y aura plus jamais de problèmes de clés perdues...

COLLECTION CARROUSEL

MINI ET PETITS

C
C
COLLECTION
CARROUSEL

Achevé d'imprimer
en mars 2000
sur les Presses de
Payette & Simms
Inc. à Saint-Lambert
(Québec)